El hombre. Su entorno y su infancia

Un hombre con barba, cabellos blancos, ojos muy azules y vestido con una gran sencillez cruzaba una de las calles cercanas a la Sagrada Familia con un aire entre pensativo y enfadado. Acababa de tener una discusión con uno de los operarios que trabajaba en el templo. Como siempre, de tanto trabajo como tenía se le había hecho tarde. Nunca llevaba reloj, y cuando tenía alguna preocupación no se daba cuenta de cómo pasaba el tiempo; para él no había horario para comer ni casi para dormir.

Este hombre que se entregaba con tanta ilusión a su trabajo era Antoni Gaudí. Había nacido en Reus el 25 de junio de 1852, su padre era un calderero de un pueblo vecino llamado Riudoms. Era el más pequeño de cinco hermanos y, a pesar de que se trasladó a Barcelona muy joven, siempre fue un hombre de la tierra con un genio muy vivo, que le hizo decir poco antes de morir: «Me lo he podido dominar casi todo, pero mi mal genio no he conseguido vencerlo jamás.»

Ya muy joven dio muestras de su talante, puesto que en la escuela destacaba por su carácter decidido, que le hacía dedicarse plenamente a aquello que realmente le interesaba, dejando de lado todo lo que no le atraía. Por eso sus notas eran de lo más irregular y desorientaba tanto a los maestros como a sus padres, ya que nunca sabían hacia donde se inclinaría aquel chico tan decidido.

Desde pequeño se aplicaba tanto en su trabajo como lo hacía aquel viejecito que cruzaba la calle sin mirar. En esta pequeña historia os contaremos unas cuantas cosas que os ayudarán a conocerle y a aprender a contemplar su obra con más atención.

Los animales y la naturaleza

Desde muy joven le gustaba hacer excursiones, y mientras caminaba por los campos y las montañas lo observaba todo y aprendía constantemente las lecciones que la naturaleza le ofrecía.

Y gracias a su curiosidad y a estas excursiones, se dio cuenta de que la misma naturaleza le proporcionaba soluciones a los problemas que se le planteaban en sus construcciones. Y así fue como intentó convertir en arquitectura lo que la vida le mostraba.

Muchos de los seres vivos que le rodeaban los transformó en elementos decorativos; si os fijáis bien podéis encontrar insectos que son picaportes, tortugas que aguantan columnas, hojas que se unen para formar puertas, flores que se enredan en las paredes de una habitación y dragones que trepan y os observan desde los lugares más insospechados.

Sin embargo, no utilizaba la lección de la naturaleza únicamente para obtener elementos decorativos, sino que hacía uso de todo lo que aprendía en sus excursiones para hacer más firmes sus construcciones.

Si miramos muy de cerca a alguno de los animales o a alguna de las plantas que adornan sus casas, nos damos cuenta de hasta qué punto se fijaba en ellos: podremos reconocer incluso las distintas especies, de lo exactas que son las reproducciones.

Los estudios y sus primeros trabajos

En el año 1873, decidido ya a ser arquitecto y con muchas ganas de estudiar, se matriculó en la Escuela Provincial de Arquitectura.

Pero su entusiasmo por la escuela pronto desapareció y, a pesar de los edificios que más tarde construiría, no fue un buen alumno. Quedaba bien claro que a aquel joven estudiante de Reus no le gustaba nada la disciplina; su fuerza interior le hacía dar mayor importancia a sus impulsos que a las normas que le enseñaban, a la experiencia directa y vivida que a las páginas de libros, al trabajo personal que a las reglas establecidas.

Por todo ello os podemos asegurar que, para su formación, fueron más importantes las enseñanzas que recibió en los distintos trabajos que realizó mientras estudiaba, que las propias enseñanzas académicas.

Como su padre no era rico, Antoni tenía que trabajar para pagarse los estudios. Por eso no paró, obstinado, de buscar trabajo en varios talleres de arquitectos donde, además, se podía enfrentar con unos problemas prácticos y reales que reclamaban una solución inmediata, y que le interesaban mucho más que todos los aspectos teóricos que se planteaban en la Escuela.

Cuando acabó la carrera le empezaron a encargar pequeños trabajos que él se tomaba con el mismo entusiasmo que pondría más tarde en las obras de grandes dimensiones que realizó.

Para que os deis cuenta de esto, fijaos en las farolas de la Plaça Reial de Barcelona y veréis que están hechas de una manera muy cuidada y estudiada. Pues fueron realizadas por el joven arquitecto Gaudí.

Dos características de su obra: la imaginación y los oficios artesanos

Cuando vayáis conociendo la obra de Antoni Gaudí, os daréis cuenta de que sus edificios se diferencian de los de otros arquitectos porque parecen hechos con una imaginación desbordante, que nos hace olvidar que aquella casa está hecha de piedra, hierro, madera y otros materiales poco poéticos.

Pero si os detenéis a mirar cada uno de los elementos de sus construcciones, veréis que justamente era posible porque el arquitecto conocía muy a fondo todos aquellos materiales. Este conocimiento profundo era muy importante para poder realizar todo lo que su imaginación le dictaba.

Él imaginaba una cosa y a la vez sabía cómo hacerla realidad. Y esto era posible porque conocía muy a fondo, como pocos arquitectos, los oficios artesanos. Sabía hacer de escultor, de herrero, de carpintero y de otras muchas cosas, y podía explicar a los hombres que trabajaban con él cómo debían realizar aquella tortuga que tenía que sostener una columna, aquel arco en forma de palmera o aquel mosaico hecho de trocitos de cerámica que quería colocar en alguno de los edificios fantásticos que construía.

Aquellos oficios que aprendió mientras era estudiante le acompañaron para siempre. Para él, trabajar con las manos era como una gimnasia diaria que le permitía hacerse amigo de los materiales y conocer todos sus secretos.

Incluso cuando ya era muy viejecito siguió con esa práctica y, cuando murió, se descubrió que estaba trabajando en unas lámparas de bronce que realizaba con sus propias manos.

L'ILLUSTRATION FRANÇAISE
Barcelon
Le vieux
maitre t
vaille en
core en
MULTIPL
PROJECTS
DE DECO
TIÓN Et
a l'inve
tión de
bibelot
qui so
un pe
morce
de sa
capac
creative

Las casas de Barcelona

Antoni Gaudí hizo obras en distintos lugares, algunos de ellos muy alejados entre sí, como Astorga, León, Santander o Mallorca; pero ahora os hablaremos de algunas casas que construyó en Barcelona.

Nos gustaría mucho que vosotros mismos fuerais a cada una de estas casas y pudierais jugar a ser unos pequeños detectives para averiguar qué elementos utilizó el genial arquitecto en su construcción. Por ahora, os daremos unas cuantas pistas de cada una para facilitaros el trabajo.

La casa Vicens

Esta casa era la residencia de verano de un comerciante de azulejos, que fue la primera persona que hizo un encargo importante al joven arquitecto. Tal vez por esto, Gaudí puso en ella todo su empeño e ilusión, y el resultado es una casa que parece una explosión de imaginación.

Un ejemplo muy claro es la fuente del Arco Iris, en la que el agua resbala sobre el hierro y, cuando le da el sol, se descompone en los colores del Arco Iris.

En el interior de la casa hay una habitación con el techo lleno de cerezas y las paredes repletas de pájaros y flamencos, que dan a la estancia un aspecto de cuento de hadas.

Si os fijáis bien, veréis en las paredes varias inscripciones como, por ejemplo, *«Sol, solet»*, *«Oh, l'ombra de l'estiu»* y otras que seguro que podréis descubrir vosotros mismos.

SOL, SOLET....
OH, L'OMBRA DE L'ESTIU
CARRER CARO-LINES
VICENS RAJOLES

El colegio de las Teresianas

Al estar destinado a un colegio de monjas, el presupuesto para este edificio era más bien bajo y Gaudí hizo un proyecto más austero del que habría hecho en otras circunstancias.

Sin embargo, lo mencionamos para que sepáis que en este caso consiguió unos espacios muy integrados y una sabia distribución de la luz, sobre todo en los pasillos.

La casa Calvet

En esta obra, por primera vez Antoni Gaudí trabajaba en una casa de vecinos, por encargo de un comerciante de tejidos.

Al ser este comerciante muy aficionado a las setas, el arquitecto hizo las barandillas y los relieves de piedra con representaciones de diferentes tipos de hongos.

Gaudí ponía tanta dedicación en la construcción de sus edificios, que en este caso incluso diseñó los muebles. Como curiosidad, queremos destacar la representación de un chinche que sirve de picaporte.

La casa Bellesguard

En el año 1900 recibió el encargo de levantar una casa en el mismo lugar donde el rey Martín I el Humano había construido un pequeño retiro alejado de la ciudad, cuyos restos Gaudí supo respetar e incorporar al edificio.

Si os alejáis un poco y miráis la casa Bellesguard, veréis que el edificio y la montaña se unen y se mezclan en una mágica composición que ha sido posible gracias al acierto del arquitecto, al utilizar en las paredes los mismos colores del paisaje de los alrededores.

Continuando con la búsqueda de detalles curiosos, es interesante que os fijéis en los picaportes, que tienen la misma forma que los huesos humanos.

La casa Batlló

En este caso, unos fabricantes de tejidos encargaron al arquitecto la reforma de la fachada de su casa del Passeig de Gràcia, y así, la magia de Antoni Gaudí se puso en marcha.

El tejado de las buhardillas se convirtió en el lomo de un dragón, las columnas se llenaron de motivos vegetales y relieves florales, las chimeneas se fueron transformando en fantásticos elementos llenos de color, la fachada de la casa se llenó de pedacitos de cerámica y de cristales, incluso los muebles adoptaron forma de huesos humanos.

La casa Milà

Cuando se llega cerca de la casa Milà, también conocida como «la Pedrera», parece que, de golpe, en medio de las casas y de los edificios, surja un acantilado. Pero no, no es una montaña urbana, sino el último edificio que construyó nuestro arquitecto antes de encerrarse para hacer la Sagrada Familia.

Un ejército de chimeneas y ventiladores vigilan la casa desde la terraza, como si fuesen unos centinelas de piedra que imitasen las formas onduladas del humo cuando se eleva hacia el cielo.

Otra de las innovaciones que intentó Gaudí en esta casa fue una rampa que permitiría a los carruajes de la época llevar a los señores hasta la misma puerta de su piso. ¡Pedir mayor comodidad es casi imposible!

29
doctor ANDREU

Los Güell

En la vida de Antoni Gaudí hubo unas personas que jugaron un papel de gran importancia y que posibilitaron la realización de muchas de sus obras: fueron los señores Güell y la familia Comillas.

La familia Güell era una de las más ricas de la época. Al conocer al arquitecto y a su obra, depositaron toda su confianza en él, y le permitieron trabajar con la libertad y los medios que su inspiración requería. Especialmente Eusebi Güell, un hombre que perseguía los mismos ideales creativos que Antoni Gaudí, y por ello enseguida se entendieron.

Los pabellones Güell

Uno de los trabajos que le fueron encargados por la familia Güell fue la realización de los pabellones de entrada (la portería y las caballerizas) y la puerta de la finca que poseían en las afueras de la ciudad, donde actualmente se encuentra el Palacio de Pedralbes.

La puerta, que se puede ver desde la calle, es un magnífico dragón alado que, sin miedo a exagerar, es la culminación de las numerosas representaciones de este animal que aparecen en la obra de Gaudí. Es interesante resaltar que la forma de su cuerpo sigue la posición de las estrellas en las constelaciones del Dragón y de Hércules.

El palacio Güell

Dos años más tarde le encargaron la construcción de la residencia de la misma familia en Barcelona.

En esta construcción, el arquitecto hizo un gran esfuerzo imaginativo que se puede apreciar en todo el edificio, desde los sótanos a las chimeneas, que recuerdan al bosque de un cuento fantástico.

Todo lo que hay en este palacio es sorprendente y lleno de inventiva, desde las escaleras colgantes hasta los sistemas de ventilación, el gran órgano, una capilla-armario o los más de cuarenta tipos diferentes de columnas que se pueden encontrar.

La cripta Güell

En Santa Coloma de Cervelló, el conde Güell edificó una fábrica textil y una colonia obrera. Y Gaudí hizo la cripta de lo que debería haber sido la iglesia de la colonia.

Es la obra más incompleta del arquitecto, pero sin duda la más perfecta en construcción, original y sorprendente, de todas las que realizó.

Para que os deis cuenta de las dificultades que tuvo en la construcción, comenzó su proyecto el año 1898, las obras se iniciaron en 1908 y su construcción fue interrumpida en 1917.

Hay un aspecto de esta construcción que nos permite comprender algo mejor el modo de proceder de este hombre. En el lugar donde debía hacerse la escalera de la iglesia crecía un pino que ya entonces era centenario. A Gaudí le dolía mucho tener que talarlo y, como respetaba tanto la naturaleza, prefirió desviar la escalera antes que cortar un árbol que se encontraba en aquel lugar desde hacía tanto tiempo.

Teixits
Güell
SANTANDER
VIROLAI

El parque Güell

Uno de los sueños del conde Güell era hacer una gran ciudad-jardín donde las casas se mezclasen con más de un cincuenta por ciento de jardines, árboles y zonas donde los niños pudiesen jugar y los mayores pasear, leer o simplemente descansar.

Encargó este trabajo a su amigo Gaudí y éste se puso a trabajar con muchas ganas, ya que la idea le encantaba. A pesar del entusiasmo de ambos, la construcción del parque se interrumpió con la guerra y más tarde definitivamente con la muerte del conde.

Lo que sí se construyó fue la entrada, con una reja en forma de hojas de una palmera característica de Cataluña, el país al que tanto amaba Gaudí y al que siempre defendió, y una escalinata, con una curiosa representación de un reptil que puede parecer un simpático y manso dragón o quizá una lagartija...

Eso sí, el trabajo que se hizo permitió que Barcelona tuviera un monumento de gran calidad y belleza.

Cuando alguien pasea por los caminos sinuosos que van subiendo por el monte donde se quería construir esta pequeña ciudad, es fácil imaginar lo hermosa que hubiera sido con las sesenta casas que se habían pensado. Al final, sólo se construyeron tres: una para los Güell que hoy es una escuela, otra para un abogado de Barcelona, cuya familia todavía la habita y la última para el propio Gaudí, hoy convertida en casa-museo.

También nos dejó una gran plaza donde estaba previsto hacer conciertos, fiestas y representaciones, y que actualmente está realizando la función para la que fue proyectada.

Esta plaza está sostenida por 86 columnas, entre las cuales debía celebrarse el mercado, y está rematada por un banco de formas onduladas que es como un maravilloso rompecabezas hecho de miles de pequeños pedazos de cerámica, vidrio, azulejos... Si lo visitáis, intentad descubrir de qué son las piezas que lo forman, ¡ya veréis qué divertido!

El interior de las casas

Puede que de tanto mirar la naturaleza, Antoni Gaudí fuera comprendiendo que todas las cosas estaban relacionadas entre sí, que no hay ningún elemento aislado y que no tenga relación con lo que le rodea.

Y esta variedad, que se puede encontrar en todos los ámbitos de nuestra vida y también de nuestro entorno, se puede aplicar a la arquitectura.

Por eso entendía una casa como un todo. No sólo pensaba y pensaba cómo se podía solucionar cada uno de los problemas que iban surgiendo con la construcción del edificio, sino que una vez acabado trabajaba incansablemente para aplicar sus geniales soluciones, desde la fachada al pomo de puerta más pequeño.

Por eso, también en sus interiores podemos encontrar, por ejemplo, la imitación de las formas del paisaje, como es el caso de las dunas que aparecen en los techos de yeso de la Casa Milà. Podemos ver cómo ensayaba en nuevos materiales formas utilizadas en otros, como las similares a las de la arpillera que tienen los hierros de los balcones de la Casa Milà.

Otro tema que apasionaba a Gaudí era cómo tratar la luz. Un claro ejemplo es el de la Casa Vicens, donde el comedor, la sala para fumar y la galería se caracterizan por la manera de tratar los muros, con decorados «chinos» y numerosas pinturas que podrían crear un ambiente cerrado, pero que Gaudí soluciona con un tratamiento de la luz que llega desde la galería.

En la Casa Milà los elementos decorativos eran innumerables, desde inscripciones en el techo como *«sota l'ombreta, l'ombrí, flors i violes i romaní»*, hasta los pomos y las manijas de las puertas, o las vidrieras imitando el caparazón de las tortugas.

Pero donde más demostró su interés por TODOS los elementos que intervenían en una vivienda fue en la Casa Batlló; desde la escalera, el techo, la chimenea y el mobiliario del comedor, todo nos muestra un repertorio de soluciones hechas y pensadas para crear un ambiente único.

La Sagrada Familia

Gaudí era un hombre profundamente religioso. Por ello cuando le hablaron del proyecto para la que tendría que ser la catedral de la nueva Barcelona, se entusiasmó tanto que, a pesar de que el edificio estaba comenzado por otro arquitecto, se hizo cargo de las obras con muchas ganas y enseguida introdujo numerosas modificaciones.

A medida que iba pasando el tiempo, pensad que empezó a trabajar en 1884, cada vez iba quedando más absorbido. Y tanta era la atracción que la obra le producía que, a partir de 1908, se dedicó a ella con toda su alma y no inició ninguna otra construcción.

Su proyecto era fabuloso: dieciocho torres debían rodear las naves con una auténtica apoteosis de pináculos y torres que, por cierto, tienen la misma estructura que las torres humanas levantadas por los «castellers». Además, tenían que ir acompañadas de colegios, casas, salas de reuniones...

De todo ello y en todos los años que le dedicó, sólo pudo ver edificados la cripta, el ábside y la fachada del Nacimiento, que es como un inmenso pesebre, y que es tan importante que ella sola tiene el valor de todo un edificio. Durante muchos años ha sido uno de los símbolos más conocidos de Barcelona. La construcción del edificio continúa a día de hoy, con el interior, que ya es como un bosque de columnas; las torres centrales dedicadas a Jesús, María y los cuatro evangelistas, y nuevas fachadas. Se dice que podría estar acabada en el año 2026.

Gaudí quería que este templo resumiese el conjunto de sus investigaciones y sus descubrimientos, y ahora que ya conocéis un poco mejor su obra, os podéis imaginar lo que esto representa.

En toda la construcción predominan los elementos geométricos, los animales y las plantas, y cada cual tiene su propio simbolismo. Os pondremos un pequeño ejemplo: hay dos columnas que se levantan sobre un par de magníficas tortugas de piedra; pues bien, la que está en el lado del mar es una tortuga marina y la otra es una tortuga de tierra como la que podéis tener en la terraza de vuestra casa.

Sanctus
Sanctus
Gaudí
ARQ.
PROJECTE
TEMPLE
SAGRADA
FAMÍLIA
FAÇANA DE
LA GLÒRIA

ULTRA-MARINS
SALA-BOSC
SASTRERIA
1884
30
CORTS C.
RAMBLAS
PASTILLES
Dr ANDREU
DIA

Antoni Gaudí, como os decíamos al principio, falleció el 10 de junio de 1926. Cuando salía de trabajar en la Sagrada Familia, cruzó la calle sin mucho cuidado y fue atropellado por un tranvía.

Gravemente herido, fue llevado al hospital, pero al ir vestido con ropas bastante pobres, nadie le reconoció. Cuando finalmente se supo quién era, sus amigos le propusieron llevarlo a una clínica, pero él se negó, respondiéndoles: «mi sitio está aquí, entre los pobres».

La huella de Gaudí

Ya os hemos comentado que Gaudí hizo obras en otras ciudades además de en Barcelona, pero antes de acabar querríamos hablar un poco de las más destacadas para que tengáis una idea de la repercusión que tuvo su obra.

Así, podemos nombrar la villa El Capricho, situada en Comillas, Santander; en Astorga (León) hizo el Palacio Episcopal, con un estilo muy diferente del gótico; también colaboró en la restauración de la catedral de Palma de Mallorca.

La obra de Antoni Gaudí no nos dejará nunca de maravillar. Con ella podremos aprender a mirar la naturaleza con un respeto diferente y también nos ayudará a entender que todo lo que nos rodea, incluso los más pequeños detalles, tiene su lugar y su importancia.